L'Univers

écrit par **Carole Scott**
traduit par **Jocelyne de Pass**

MNathan

Édition originale parue sous le titre :
I Wonder Why Stars Twinkle
Copyright © Macmillan Children's Books 1993,
une division de Macmillan Publishers Ltd., Londres
Auteur : Carole Scott
Illustrations : Chris Forsey 4-5, 31 ; Sébastien Quigley
(Linden Artists) 6-15, 18-21, 28-29 ; Ian Thompson 16-17, 22-25 ;
Ross Watton (Garden Studio) 26-27 ; Figure australe 19 de Ruby
Green ; Tony Kenyon (B.L. Kearley) pour les dessins
humoristiques.

Édition française :
© NATHAN, SEJER 1993, 2005, 2008, 2009, 2011, 2014,
2015, 2016, 2017, 2018
Traduction : Jocelyne de Pass
Conseillère scientifique : Denise Keen-Varangot
Réalisation : Martine Fichter
N°éditeur : 10240693
ISBN : 978-2-09-255191-2
Dépôt légal : février 2015
Conforme à la loi n° 49-956 du 16 juillet 1949
sur les publications destinées à la jeunesse,
modifiée par la loi n° 2011-525 du 17 mai 2011.

Achevé d'imprimer en novembre 2017 par Wing King Tong
Products Co.Ltd., Shenzhen, Guangdong, Chine

Couverture © Shutterstock/heromen30

www.nathan.fr

LES QUESTIONS DU LIVRE

Qu'est-ce que l'Univers ?

L'Univers, c'est l'ensemble de tout ce qui nous entoure. Infiniment grand, il englobe les étoiles, les planètes dont la Terre, l'espace… et toi ! Certains pensent que l'Univers continuera à grandir tant que les galaxies continueront à s'éloigner ; d'autres qu'elles pourraient se contracter et s'écraser un jour les unes sur les autres, jusqu'à un nouveau Big Bang.

Les plus petits éléments qui te constituent sont les mêmes que ceux d'une étoile !

Lors du Big Bang, l'Univers, composé d'un seul bloc, a explosé dans tous les sens.

Depuis le Big Bang, l'Univers s'étend de façon continue et chacune de ses parties s'éloigne lentement des autres.

Qu'est-ce que le Big Bang ?

Beaucoup d'astronomes pensent qu'à l'origine, l'Univers était comme une marmite contenant un mélange très chaud de lumière et d'électricité. Puis, il y a environ 15 milliards d'années, cette marmite explosa : ce fut le Big Bang.

Pour comprendre comment l'Univers grandit, gonfle un ballon et regarde comment les pois se dilatent et s'éloignent.

Qu'est-ce qu'une galaxie ?

Très longtemps après le Big Bang,
des morceaux de l'Univers se sont réunis
et ont formé les galaxies. Ces galaxies, faites
de gaz, de poussière et de milliers d'étoiles,
se sont rassemblées en immenses « cités »
isolées dans l'espace. L'Univers se compose
de milliards de galaxies.

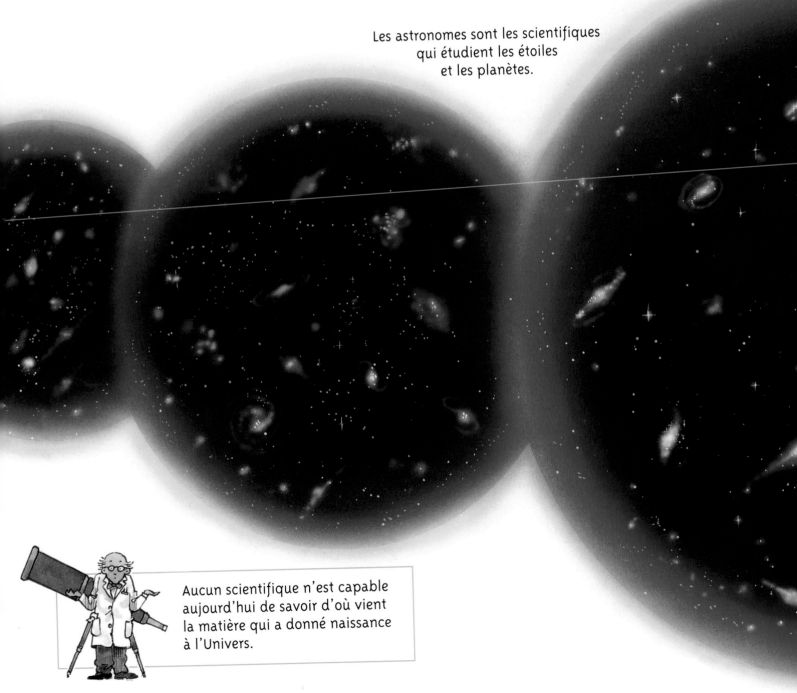

Les astronomes sont les scientifiques
qui étudient les étoiles
et les planètes.

Aucun scientifique n'est capable
aujourd'hui de savoir d'où vient
la matière qui a donné naissance
à l'Univers.

Qu'est-ce que la Voie lactée ?

La Voie lactée est la galaxie dans laquelle se trouve la Terre, la planète où nous vivons. Elle est faite de millions d'étoiles, dont le système solaire, c'est-à-dire le Soleil et toutes les planètes qui tournent autour de lui.

La Voie lactée est une galaxie en forme de spirale. Vue d'en haut, elle ressemble à un tourbillon avec de longs bras spiralés.

Les astronomes désignent généralement les galaxies par des nombres plutôt que par des noms. Mais certaines portent un nom qui décrit leur forme : Tourbillon, Sombrero, ou Œil noir, par exemple.

Certaines nuits, quand le ciel est bien dégagé, on peut y voir des étoiles formant une traînée de lumière d'un blanc laiteux : c'est la Voie lactée.

Au centre de la Voie lactée, les étoiles sont plus nombreuses que sur les bras de la spirale.

Vue de profil, notre Galaxie ressemble un peu à deux œufs sur le plat collés l'un sous l'autre.

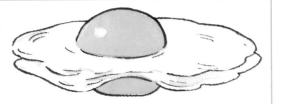

Voilà les trois principales formes des galaxies :

Irrégulière
(sans forme particulière)

Elliptique
(de la forme d'un œuf)

Spiralée

Nous vivons sur une planète, la Terre, qui tourne autour d'une étoile, le Soleil, sur l'un des bras de la spirale de la Voie lactée.

Combien notre Galaxie compte-t-elle d'étoiles ?

Il y a environ 1 000 milliards d'étoiles dans la Voie lactée, soit à peu près 200 étoiles par habitant de la Terre ! Même si nous ne pouvons pas toutes les voir, les astronomes connaissent la taille de l'Univers et son nombre d'étoiles : à peu près 100 milliards de milliards dans environ 100 milliards de galaxies. Il est difficile d'imaginer un tel nombre d'étoiles, alors, ne parlons pas de les compter une par une !

7

De quoi sont faites les étoiles ?

Parfois, des nappes rougeoyantes de gaz s'échappent d'une étoile. On les appelle proéminences.

Les étoiles ne sont pas solides comme le sol sous tes pieds. Elles sont composées de gaz, comme l'air qui t'entoure. Les deux principaux sont l'hydrogène et l'hélium. Ils sont le carburant des étoiles. C'est grâce à eux qu'elles produisent de la lumière et de la chaleur.

Reliées par des lignes imaginaires, certaines étoiles forment des dessins, les constellations. La Grande Ourse et la Petite Ourse par exemple sont visibles à l'œil nu.

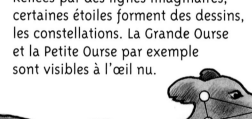

L'étoile qui brille le plus la nuit est Sirius. Elle fait partie de la constellation du Grand-Chien. Elle est environ deux fois plus grande que notre Soleil et elle éclaire au moins vingt fois plus !

Pourquoi les étoiles scintillent-elles ?

La lumière des étoiles est fixe.
Mais si on les regarde de la Terre,
leur lumière scintille. Pourquoi ?
La Terre est entourée de
couches d'air chaud et froid.
Pour parvenir jusqu'à nous,
la lumière des étoiles traverse
ces masses d'air en mouvement
qui la font dévier et clignoter.

La lumière est déviée quand elle passe d'un élément à un autre. Si tu mets une paille dans un verre d'eau, elle a l'air plié à l'endroit où elle passe de l'air à l'eau.

Quelle forme ont les étoiles ?

On dessine les étoiles en formant des
branches pointues parce que c'est ainsi
qu'elles nous apparaissent, vues de la Terre,
avec leur lumière tremblante et scintillante.
Mais en fait, elles sont rondes comme
des balles.

Qu'est-ce qu'une géante rouge ?

Les étoiles naissent, vivent très longtemps et meurent. Une géante rouge est une vieille étoile, énorme.

Des étoiles naissent tout le temps. Elles commencent leur vie dans des pouponnières d'étoiles appelées nébuleuses.

1 Toutes les étoiles naissent dans un énorme nuage tourbillonnaire de gaz et de poussière. Le Soleil est né il y a 4,6 milliards d'années.

3 La plupart des étoiles comme le Soleil brillent de manière constante pendant presque toute leur vie.

2 Le gaz et la poussière se contractent pour former une quantité de boules qui deviendront les amas d'étoiles.

En comparaison, si le Soleil brillait comme les feux d'une voiture, une géante rouge serait aussi puissante que la lumière d'un phare !

10

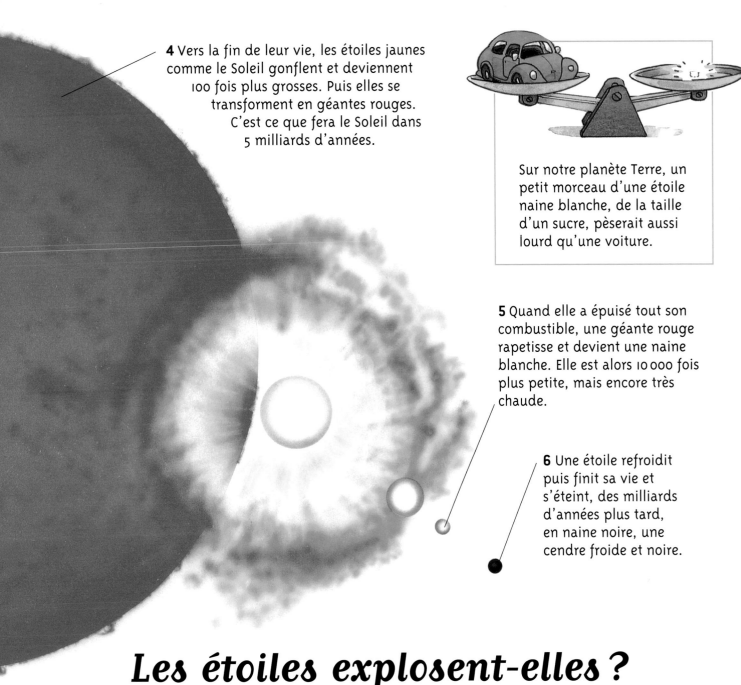

4 Vers la fin de leur vie, les étoiles jaunes comme le Soleil gonflent et deviennent 100 fois plus grosses. Puis elles se transforment en géantes rouges. C'est ce que fera le Soleil dans 5 milliards d'années.

Sur notre planète Terre, un petit morceau d'une étoile naine blanche, de la taille d'un sucre, pèserait aussi lourd qu'une voiture.

5 Quand elle a épuisé tout son combustible, une géante rouge rapetisse et devient une naine blanche. Elle est alors 10 000 fois plus petite, mais encore très chaude.

6 Une étoile refroidit puis finit sa vie et s'éteint, des milliards d'années plus tard, en naine noire, une cendre froide et noire.

Les étoiles explosent-elles ?

Il existe plusieurs sortes d'étoiles. Certaines contiennent plus de gaz combustible que d'autres. Ces étoiles massives ne meurent pas tranquillement en se refroidissant, elles explosent dans un éclair fulgurant. On les appelle supernovae.

Les étoiles qui finissent leur vie en supernovae doivent avoir au moins huit fois plus de combustible que le Soleil.

Qu'est-ce qu'un trou noir ?

La gravité est une force qui attire vers la Terre tout ce qui l'entoure. Toutes les planètes et les étoiles ont une force d'attraction. Mais certaines étoiles ont une gravité très forte qui les fait se contracter et s'effondrer sur elles-mêmes. L'énorme étoile meurt, se tasse et devient de plus en plus petite. À la fin, tout ce qu'il en reste, c'est un tas tellement dense, de gravité si forte, que la lumière ne peut s'en échapper : c'est un trou noir. Les astronomes ne peuvent les observer, ils détectent leur présence grâce à cette gravité intense.

La gravité de la Terre est une force qui maintient tes pieds sur le sol. Elle t'empêche d'aller flotter dans l'espace.

Quand deux grands corps célestes (comme une planète et un satellite) se rapprochent assez l'un de l'autre, leurs forces de gravité entrent en concurrence. Chacun tire de son côté.

La force de gravité d'une planète maintient ses satellites près d'elle et les empêche de s'échapper dans l'espace.

Dans un trou noir, l'espace est déformé. Si tu sautais dans un trou noir, ton corps s'étirerait et serait long comme un spaghetti : la gravitation tirerait plus tes pieds que ta tête. Tout près du trou, tu serais disloqué !

La lumière est aspirée par les trous noirs comme l'eau d'un lavabo qui se vide.

Un trou noir peut aspirer
une étoile qui passerait
trop près de lui. Rien,
même la lumière d'une
étoile, ne peut échapper
à la force de gravité
d'un trou noir.

Quelle est la température du Soleil ?

Comme toutes les étoiles, le Soleil est une immense boule de gaz brûlant. C'est en son centre que sa température est la plus élevée, environ 15 millions de degrés Celsius. La surface du Soleil est beaucoup moins chaude que le centre, 6 000 °C seulement, une température quand même 15 fois plus élevée que celle du plus chaud des fours !

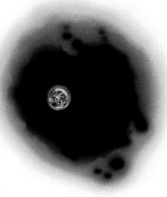

Des taches sombres appelées taches solaires sont visibles sur la surface du Soleil. Il a l'air d'avoir la varicelle ! Les taches solaires sont des zones beaucoup moins chaudes qui dégagent moins de lumière que le reste du Soleil.

La plupart des taches solaires sont plus grandes que la Terre.

Sans la lumière et la chaleur du Soleil, la vie sur notre planète ne serait pas possible... Pas de plantes, pas d'animaux et pas d'humains !

Le Soleil est la seule étoile assez proche de la Terre pour que nous puissions sentir sa chaleur. La deuxième étoile la plus proche de la Terre est Proxima Centauri. La lumière du Soleil met 8 minutes et 20 secondes pour nous parvenir, celle de Proxima Centauri plus de 4 ans !

Chaque seconde, le Soleil utilise une quantité de carburant égale aux chargements en fuel de plus de 30 millions de camions !

Un jour, le Soleil disparaîtra-t-il ?

Un jour, le Soleil aura épuisé tout son combustible et il mourra. Mais ce phénomène ne se produira pas avant 5 milliards d'années. Le Soleil se gonflera d'abord, deviendra une géante rouge puis il se ratatinera en naine blanche avant de s'éteindre complètement.

Combien de planètes y a-t-il ?

Notre planète Terre a sept voisines. Elle compose avec elles une famille de huit planètes qui tourne autour du Soleil. Le Soleil et tous les corps célestes qui gravitent autour de lui forment le système solaire. En plus du Soleil et des planètes, le système solaire comprend les satellites des planètes, des astéroïdes, des comètes…

Les comètes sont des boules de glace, de neige et de poussière. La plupart restent à la limite du système solaire, mais certaines se rapprochent du Soleil. Quand la chaleur du Soleil commence à les faire fondre, elles éjectent des queues de gaz et de poussière longues de millions de kilomètres. La plus célèbre est la comète de Halley.

Le mot planète vient du mot grec Planêtês, qui signifie « vagabond ». Les Grecs anciens avaient déjà observé que les planètes erraient dans le ciel.

Mercure   Vénus   Terre   Mars   Jupiter

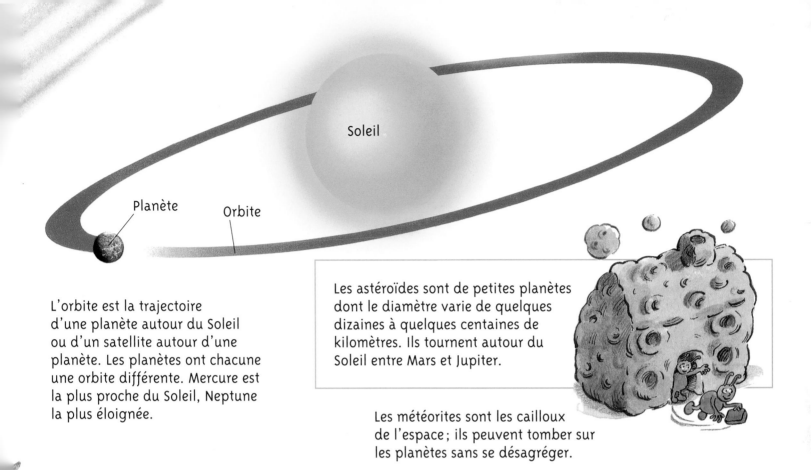

Soleil

Planète

Orbite

L'orbite est la trajectoire d'une planète autour du Soleil ou d'un satellite autour d'une planète. Les planètes ont chacune une orbite différente. Mercure est la plus proche du Soleil, Neptune la plus éloignée.

Les astéroïdes sont de petites planètes dont le diamètre varie de quelques dizaines à quelques centaines de kilomètres. Ils tournent autour du Soleil entre Mars et Jupiter.

Les météorites sont les cailloux de l'espace ; ils peuvent tomber sur les planètes sans se désagréger.

Étoile ou planète ?

Saturne

Les planètes ne sont ni aussi grandes ni aussi chaudes que les étoiles. Elles ne produisent pas de lumière ; elles renvoient celle du Soleil autour duquel elles tournent. Elles ont été formées par les restes d'un nuage de gaz et de poussière qui a donné naissance au Soleil.

Uranus

Neptune

Pourquoi la Terre est-elle unique ?

La Terre est la seule planète du système solaire qui contient de l'eau, indispensable à la vie. Cela la rend unique. C'est la troisième planète par rapport au Soleil. Elle reçoit juste ce qu'il faut de chaleur et de lumière pour que nous puissions y vivre. Si elle avait été plus proche du Soleil, il aurait fait trop chaud. Plus loin, il aurait fait trop froid.

Lorsque le Soleil sera devenu une géante rouge, il engloutira Mercure qui est la planète la plus proche de lui et deviendra si grand qu'il occupera la moitié de l'Univers.

Toutes les planètes tournent autour du Soleil.

Pour voir comment la Terre est éclairée quand elle tourne autour du Soleil, fais tourner un globe sur lui-même dans le faisceau d'une lampe électrique.

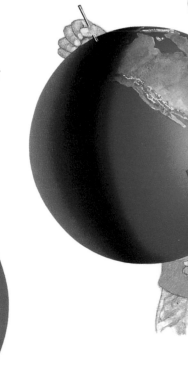

Pourquoi le Soleil disparaît-il la nuit?

La Terre tourne sur elle-même et autour du Soleil. Au cours de cette rotation, la face qui n'est pas exposée au Soleil est plongée dans la nuit. D'un côté de la planète, il fait jour; de l'autre, c'est la nuit. Il faut un jour et une nuit pour que la Terre fasse un tour complet sur elle-même.

Les astronomes pensent que des millions d'étoiles dans l'Univers ont leurs propres familles de planètes; mais on n'a pas encore trouvé d'autres systèmes solaires.

Quelle est la planète la plus chaude ?

Vénus, également appelée l'étoile du Berger, n'est pas la planète la plus proche du Soleil, mais elle est la plus chaude. La température peut y atteindre 500 °C, huit fois plus que dans le Sahara, l'endroit le plus chaud de toute la Terre.

Mercure (ci-contre) est plus proche du Soleil que Vénus, mais Vénus est plus chaude ! Elle est enveloppée de nuages de gaz qui gardent la chaleur du Soleil comme une couverture.

Des sondes spatiales se sont posées sur Vénus et ont renvoyé sur terre des photos et des informations. Mais ces engins spatiaux ont été détruits par le terrible climat de Vénus peu après leur arrivée sur cette planète.

Mars est la quatrième planète par rapport au Soleil, juste après la Terre. On a longtemps pensé que, comme la Terre, elle pourrait abriter la vie. Mais les sondes spatiales n'y ont détecté aucun signe de vie.

Mercure est recouverte de cratères, des trous creusés par la chute d'énormes météorites, des fragments de roches venus du fond de l'espace.

Si tu pouvais aller sur Mercure, tu verrais le Soleil deux fois plus gros que depuis la Terre, parce que Mercure est beaucoup plus près du Soleil que nous.

Quelle est la planète rouge ?

Mars est souvent appelée la planète rouge. Son sol est recouvert d'une poussière rouge qui, balayée par le vent, forme des nuages roses ! Sur Mars, les roches contiennent beaucoup de fer, or le fer devient rouge quand il rouille. « Planète rouillée » aurait été un nom plus adapté !

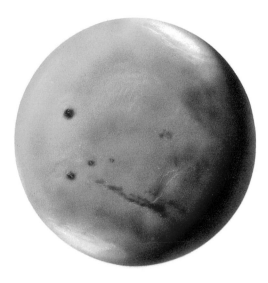

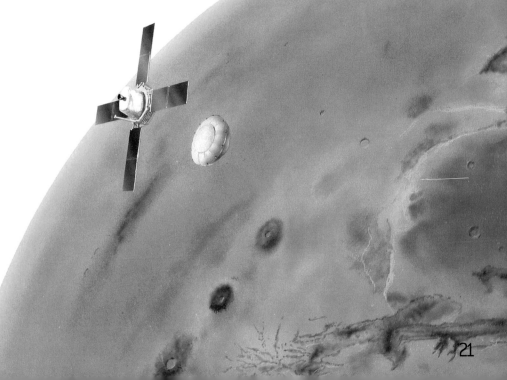

Tout ce qui vit a besoin d'eau ; or, toute l'eau de Mars est gelée dans ses pôles Nord et Sud.

Quelle est la plus grande planète ?

Jupiter est si gigantesque qu'elle pourrait contenir toutes les autres planètes ! Elle est aussi la plus lourde de toutes. Des nuages tourbillonnaires de gaz soulevés par de puissants vents de tempête semblent dessiner des écharpes de brume colorée sur sa surface.

Jupiter possède une immense et énigmatique tache rouge. Elle est si grande qu'elle pourrait contenir deux fois la Terre ! C'est une tempête énorme qui fait rage depuis plus de 300 ans.

Ce sont les Romains qui ont donné le nom du roi de leurs dieux à cette planète, « Jupiter », aussi appelé « roi des planètes ».

De nombreux satellites gravitent autour de Jupiter. Quatre d'entre-eux ont la taille d'une planète. Par ordre croissant de taille, ce sont : Europe, Io, Callisto et Ganymède qui est plus grand que Pluton et Mercure !

Grande tache rouge

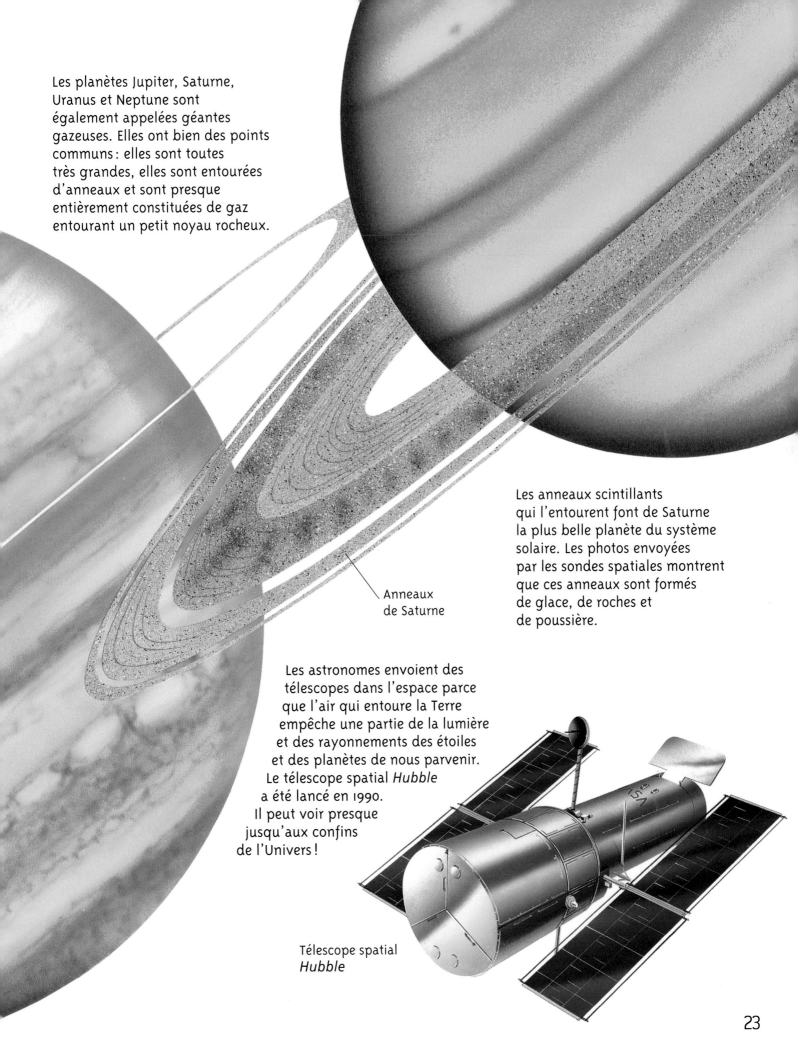

Les planètes Jupiter, Saturne, Uranus et Neptune sont également appelées géantes gazeuses. Elles ont bien des points communs : elles sont toutes très grandes, elles sont entourées d'anneaux et sont presque entièrement constituées de gaz entourant un petit noyau rocheux.

Les anneaux scintillants qui l'entourent font de Saturne la plus belle planète du système solaire. Les photos envoyées par les sondes spatiales montrent que ces anneaux sont formés de glace, de roches et de poussière.

Anneaux de Saturne

Les astronomes envoient des télescopes dans l'espace parce que l'air qui entoure la Terre empêche une partie de la lumière et des rayonnements des étoiles et des planètes de nous parvenir. Le télescope spatial *Hubble* a été lancé en 1990. Il peut voir presque jusqu'aux confins de l'Univers !

Télescope spatial *Hubble*

Quelle est la planète la plus éloignée du Soleil ?

Neptune est la planète la plus éloignée du Soleil et la plus froide. Au-delà, se trouvent des milliers d'éléments glacés, encore méconnus pour la plupart, appelés objets de la Ceinture de Kuiper, et dont Pluton et Éris font aujourd'hui partie.

Sur Neptune, une glace te ferait l'effet d'une soupe brûlante car la température y est incroyablement froide : -200 °C !

Sombre et froide, Pluton, découverte en 1930, a été désignée du nom du dieu romain des Enfers. Jusqu'en 2006, elle était considérée comme une des neuf planètes du système solaire.

Un des gaz d'Uranus est appelé méthane. C'est lui qui donne la couleur bleu-gris à cette planète.

Quelle planète est penchée ?

La position d'Uranus est inhabituelle. Du fait de la forte inclinaison de son axe de rotation, elle nous apparaît penchée. Ses anneaux et lunes encerclent cette drôle de planète, mais de haut en bas ! On ne sait pas exactement pourquoi, peut-être a-t-elle été percutée par un énorme astéroïde lorsqu'elle était encore jeune.

Comment connaissons-nous les planètes les plus éloignées ?

Jusqu'à ce que la sonde spatiale américaine *Voyager 2* visite Uranus en 1986, et Neptune en 1989, on ne connaissait pas bien ces deux planètes. *Voyager 2* nous a permis de mieux découvrir ces deux mondes si lointains. Sa caméra a révélé que Uranus avait seize satellites et Neptune huit. Depuis, grâce à des télescopes toujours plus puissants, d'autres lunes ont été découvertes : Uranus en a finalement 27 et Neptune 13 !

Voyager 2 a quitté la Terre en 1977 et n'est arrivée sur Neptune que douze ans plus tard, en 1989.

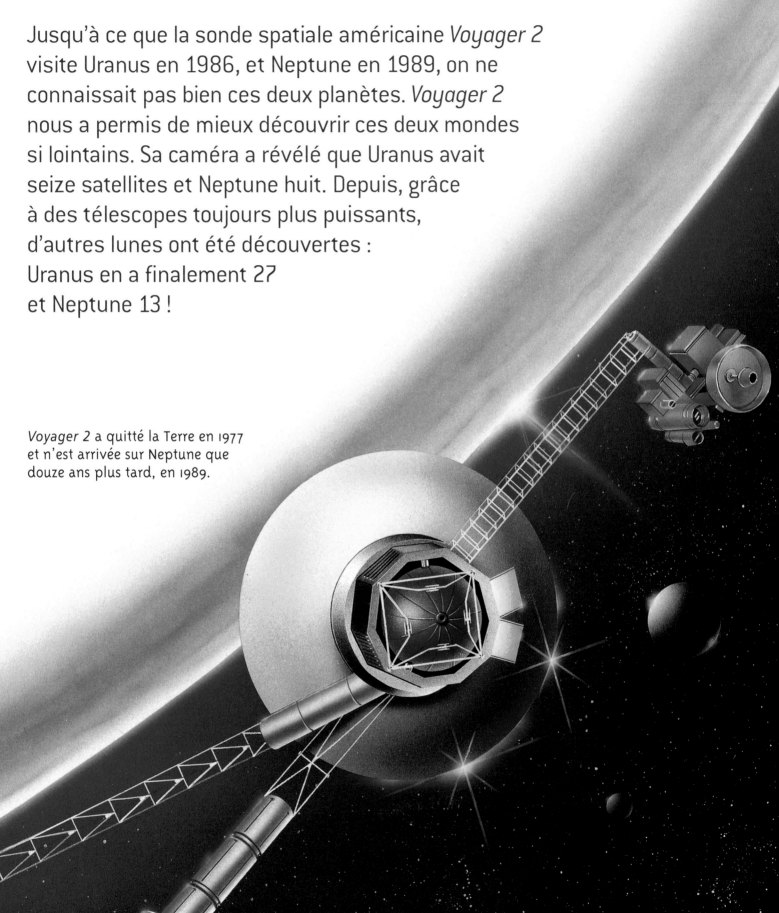

Quelle planète a le plus gros satellite ?

Les satellites sont des corps rocheux qui tournent autour des planètes. Ils sont parfois appelés lunes. Jupiter a seize satellites, dont trois, Ganymède, Callisto et Io, qui sont plus grands que la Lune, le satellite de la Terre. Mercure et Vénus n'ont pas de satellite. Toutes les autres planètes en possèdent au moins un.

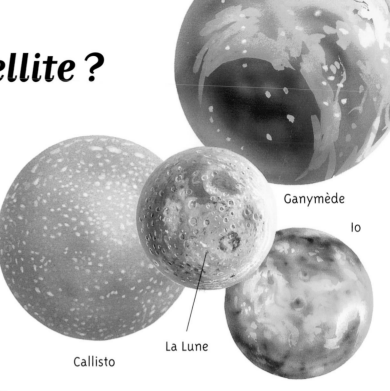

Ganymède

Io

La Lune

Callisto

Ganymède est le plus grand satellite du système solaire. Callisto est constitué de roches et de glace, et Io contient des volcans en activité qui lui donnent une couleur rouge par endroits.

À quoi ressemble la Lune ?

La Lune est un satellite de la Terre. Elle est sèche, poussiéreuse et sans vie. On n'y trouve pas d'air ni d'eau et la vie y est impossible. Sa surface est parsemée de chaînes de montagnes et de cratères formés par des roches venues de l'espace. Pendant le jour, il y fait si chaud que ton sang se mettrait à bouillir. La nuit, il gèle ; l'endroit rêvé pour passer des vacances !

Peut-on marcher sur la Lune ?

En juillet 1969, le vaisseau spatial américain *Apollo 11* se pose sur la Lune. À son bord, trois astronautes dont deux, Neil Armstrong et Edwin Aldrin, sont les premiers hommes à marcher sur la Lune. Des millions de téléspectateurs assistent en direct à cet événement planétaire.

Mars a deux petits satellites qui ressemblent à de vieilles pommes de terre racornies. Ils s'appellent Deimos et Phobos et, contrairement aux satellites plus grands, ils ne sont pas ronds. Ils ont été observés en 1877 par un astronome américain avec un télescope ne mesurant que 66 centimètres...

En comparaison, si la Terre avait la taille d'une orange, la Lune, elle, aurait la taille d'une cerise.

La gravité de la Lune n'est pas aussi forte que celle de la Terre. Tu serais environ six fois plus léger sur la Lune que sur la Terre, et tu pourrais sauter six fois plus haut !

À quelle vitesse vont les fusées ?

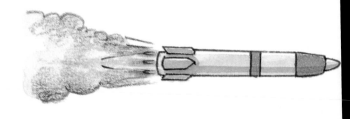

Les fusées doivent parcourir plus de 11 kilomètres par seconde pour pénétrer dans l'espace. Cela fait à peu près 40 000 kilomètres à l'heure. Si les fusées n'allaient pas si vite, elles ne pourraient pas échapper à la formidable attraction de la Terre.

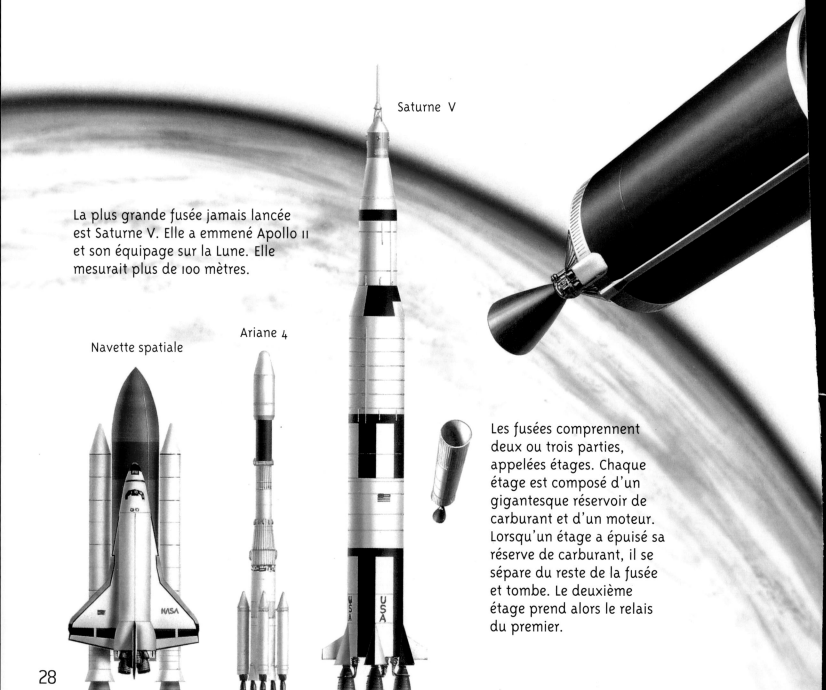

Saturne V

La plus grande fusée jamais lancée est Saturne V. Elle a emmené Apollo II et son équipage sur la Lune. Elle mesurait plus de 100 mètres.

Navette spatiale

Ariane 4

Les fusées comprennent deux ou trois parties, appelées étages. Chaque étage est composé d'un gigantesque réservoir de carburant et d'un moteur. Lorsqu'un étage a épuisé sa réserve de carburant, il se sépare du reste de la fusée et tombe. Le deuxième étage prend alors le relais du premier.

Le sommet de la fusée est chargé soit d'un satellite, soit d'une sonde spatiale, ou encore d'un vaisseau spatial transportant des astronautes.

À quoi servent les fusées ?

Les fusées servent surtout à mettre des engins spatiaux, appelés satellites, en orbite autour de la Terre. Chaque type de mission requiert un satellite particulier.

Les satellites peuvent être utilisés par un pays pour en espionner un autre.

Les satellites de communication captent et retransmettent des signaux aux téléviseurs et aux téléphones.

Les satellites de navigation guident les avions et les bateaux sur les routes de la mer et du ciel.

Les photos et les cartes transmises par les satellites aident les scientifiques à étudier la Terre.

Certains satellites nous permettent de prédire le temps qu'il fera.

Pourquoi mettre une combinaison spatiale ?

Il n'y a pas d'air pour respirer dans l'espace. Dans les zones éclairées par le Soleil, il fait très chaud, dans les zones d'ombre, très froid. Sans les combinaisons pour les protéger lorsqu'ils sortent du vaisseau, les astronautes ne pourraient pas survivre à l'extérieur.

Les astronautes dorment dans des sacs fixés aux parois du vaisseau spatial. Ils doivent même attacher leurs bras ou les croiser sur eux pour les empêcher de flotter !

Les astronautes doivent porter une ceinture qui les empêche de flotter quand ils vont aux toilettes. Ils disposent également de chaussures munies de ventouses car se tenir debout n'est vraiment pas facile.

Incroyable ! Un séjour dans l'espace fait grandir : les astronautes, de retour sur Terre, mesurent environ 5 centimètres de plus !

Pourquoi les astronautes flottent-ils ?

La gravité est très faible dans l'espace, même à bord d'un vaisseau spatial. En l'absence de gravité, les astronautes deviennent suffisamment légers pour flotter comme des ballons ! Tous les objets qui les entourent flottent également : pas facile de déjeuner dans ces conditions !

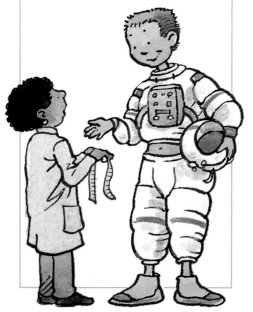

La visière de leur casque protège les yeux des astronautes contre les rayons nocifs du Soleil.

Les fauteuils de l'espace, appelés MMU, sont équipés de tout ce qui est indispensable aux astronautes lorsqu'ils sortent du vaisseau pour se déplacer de façon autonome sur de courtes distances. Également dotés d'oxygène pour respirer, d'une radio pour communiquer avec le vaisseau, les astronautes effectuent aussi des missions de réparation. Ils sont alors arrimés à un bras robotisé (voir ci-dessus).

Index